ひとまねこざる

H. A. レイ 文, 絵　　　光吉夏弥訳

岩波書店

CURIOUS GEORGE TAKES A JOB
by H. A. Rey

Copyright © 1947 by H. A. Rey

Originally published in English
by Houghton Mifflin Company, Boston.

This Japanese edition is published
by Iwanami Shoten, Publishers, Tokyo
by arrangement with H. A. Rey.

これは，さるの　**じょーじ**です。

どうぶつえんに　すんでいます。

じょーじは，かわいい　こざるでしたが，とても
しりたがりやでした。

どうぶつえんの　そとが　どんなか，しりたくて
たまりませんでした。

　ある日，かかりの　おじさんが，うっかりしている　すきに，
そっと，**じょーじ**は　かぎを　ぬすんでしまいました。

　おじさんが，きがついたときには，もう　じょーじの
すがたは，みえませんでした。

じょーじは，どこだ，どこだ？
みんなで，おおさわぎになりました。

でも、じょーじは　みつかりません。

じょーじは，なかよしの　ぞうの　こやの　かれくさの
なかに　かくれていたのです。
　とうとう，みんなは，さがすのを　あきらめてしまいました。

　そのばん，**じょーじ**は，ぞうの　みみの　したの　ぽかぽか
きもちのいい　ところで　ねました。
　つぎのあさ，**じょーじ**は，どうぶつえんが　あくまえに，
まんまと，そとへ　にげだしました。

　もんから　でたとたんに，**じょーじ**は，ちょっと
こころぼそく　なりました。
　ひろい　まちの　なかで，これから　どうすれば
いいのでしょう？
　じょーじは，ずっとまえに，とおい　**あふりか**から
じぶんを　つれてきた，なかよしの　きいろいぼうしの
おじさんに，あえるかもしれないと　おもいました。
　でも，おじさんは，どこに　すんでいるのか　わかりません。

　まちかどに，**ばすの**　のりばが　ありました。

　じょーじは，まだ　いちども，**ばすに**　のったことが

ありません。そこで，すばやく，がいとうの　てっぺんに

よじのぼって，そこから，**ばすの**　やねに　とびうつりました。

　ばすは　すぐに　うごきだしました。

まもなく
まちの　まんなかへ
あんまり　みるものが
あるので，なにから　さきに
わかりません。このまま
いられたらなあと，**じょーじ**は

ばすは
きました。
たくさん
みていいか
いつまでも　のって
おもいました。

けれども，そのうち　くたびれて，すこし　ふらふらして
きました。**ばす**が，ゆっくり　みちを　まがろうとしたとき，
じょーじは　とびおりました。
　すると，ちょうど　めのまえに，**れすとらん**が　ありました。
なにか，とても　おいしそうな　においがします！
　じょーじは，きゅうに　おなかが　すいてきました。

　れすとらんの　うらぐちが　あいていたので，**じょーじ**は，
なかへ　はいっていきました。
　すると，**てーぶる**の　うえに，おおきな　おなべが
ありました。いったい　なにが　はいっているのでしょう。
　しりたがりやの　**じょーじ**は，ふたを　あけてみたくて
たまりません。

　そこへ，**こっくさん**が　かえってきて，びっくりぎょうてん！
　そこらじゅうに，**すぱげってぃー**が　ちらばっていて，
そのまんなかに　こざるが　すわっていました！
　じょーじは，つるつる　つるつる　たべていて，
からだじゅうに　**すぱげってぃー**が　まきついていました。
　こっくさんは，しんせつな　ひとでしたので，あまり
しかりませんでした。

そのかわり，**じょーじ**は，きれいに
だいどころの　そうじをして，おさらを
ぜんぶ，あらわなければなりませんでした。
なんて　たくさん，おさらが　あるのでしょう！
　こっくさんは，そばで　ながめながら，
いいました。
　「きみは，てが　4ほんもあって，いいなあ。
ばいも　はやく，しごとが　かたづくもの」

「じつは，きみのような
べんりな　ちびさんを，まどの
がらすふきに　ほしがっている
ともだちが　いるんだが……もし
よかったら，つれてってあげよう」
　そこで，ふたりは　ちかてつへ
おりていって，**こっく**さんの　ともだちのところへ　いく
でんしゃに　のりました。そのひとは，たかい　**びる**の
えれべーたーがかりを　していました。

　「いいとも、さっそく　やとってあげよう、**じょーじ**」と、
えれべーたーがかりの　おじさんは　いいました。
　「これが　しごとの　どうぐだ。すぐに　はじめておくれ。
ただし、きみは、まどの　**がらす**ふきだってことを、
わすれては　いけないよ。なかのひとが　なにをしていようと、
きにしては　いけない。そうでないと、いろいろ
めんどうなことが　おこるからね」
　じょーじは、「はい」と、いいました。でも、こざるは
ときどき、やくそくを　わすれてしまいます。

　じょーじは，さっそく　しごとに　かかりました。

　なんて，たくさんの　まどなのでしょう！

　でも，じょーじは，てが　4ほん　あるので，しごとは，

どんどん　はかどりました。あふりかの　じゃんぐるで，

木から木へ　とびうつっていたように，まどからまどへ

とびうつりました。

　しばらく，じょーじは　むちゅうで　はたらいて，まどの

なかなんか　のぞきも　しませんでした。

　もちろん，のぞいてみたくて　しかたがありませんでしたが，

さっきの　やくそくを　おもいだして　がまんしました。

あるへやでは，ちいさな
おとこの子が，ほうれんそうが
いやだといって，ないていました。
　でも，**じょーじ**は，
そんなことには，みむきも
しないで，しごとをつづけました。

　また，あるへやでは，
おとこのひとが，ぐうぐう，
いびきを　かいて，ひるねを
していました。ざんねんながら，
それは　なかよしの　きいろい
ぼうしの　おじさんでは
ありませんでした。**じょーじ**は，
しばらく，その　いびきを
きいていて，それから　また，
しごとをつづけました。

おや！　ここでは，なにをしているのかな？

　じょーじは，しごとをやめて，まどに　はなを
おしつけました。なかでは，ふたりの　ぺんきやさんが，
せっせと　はたらいていました。じょーじは，うっとり
みとれました。まどふきより　ずっと　おもしろそうです。

　ぺんきやさんたちは，おひるをたべに，でかけるところです。

でかけると　すぐに，じょーじは　なかへ　はいりこみました。

なんて，すてきな　**ぺんきと**　はけ　なんだろう！
じょーじは　もう，がまんできません。

　1じかんほどして，**ぺんきやさんが**　もどってきました。

どあを　あけた　とたんに，あっと，おどろきました。

へやじゅうが，**じゃんぐるに**　かわってしまって

いたからです。かべいちめんに　やしの木が　かいてあって，

きりんが　1ぴきに，ひょうが　2ひき，しまうまが

1ぴき　いました。

　そして，こざるが　1ぴき，やしの木に　のぼっている
じぶんの　すがたを，かいていました。

　これで，**ぺんき**やさんたちは，やっと　わけが
わかりました。

　じょーじは　うんよく，**どあ**の　すぐそばに　いました。
　いちもくさんに　にげだすと，あとから，
ぺんきやさんたちが　おいかけてきました。
　そのあとから，**えれべーたー**がかりの　おじさん，
そのまたあとから，このへやに　すんでいる　おくさんが
おいかけてきました。

「まあ，まあ！　わたしの　きれいな　へやを　こんなに
してしまって！」と，おくさんは　さけびました。
　「そのこざるを，つかまえて！」
　じょーじは，ひじょうぐちを　さして　にげていきました。

やっと，ひじょうかいだんの　いちばんしたに　でました。
みんなは，まだ　おいつけません。
　ちゃんすです。みんなには　とびおりられませんが，
じょーじは，わけなく　とびおりて，にげられます。
　ところが，かわいそうに　**じょーじ**は，したが
いしのように　かたい　ほどうで，**じゃんぐるの**
くさのように　やわらかくはないことを，しりませんでした。

　やれやれ，**じょーじ**は　あしを　おってしまいました。

　まもなく，きゅうきゅうしゃが　やってきて，**じょーじ**を
びょういんへ　はこんでいきました。

　「いいきみだわ！　ひとのへやを　**じゃんぐる**に
したりして！」と，おくさんは　いいました。

　「あんまり　しりたがると，めんどうが　おこるぞと，
いいきかせて　おいたんですがね」と，**えれべーたー**がかりの
おじさんは　いいました。

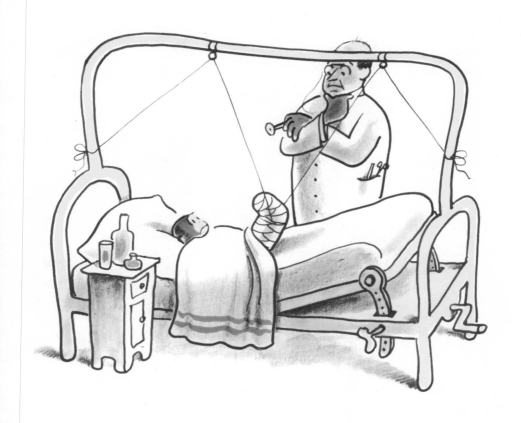

　じょーじは，あしに　**ぎぷす**を　はめられて，たかく
あげたまま，**べっど**に　ねていなければ　なりませんでした。
　じょーじは，とても　かなしくなりました。
　はじめは，あんなに　うまくいっていたのに！　あんまり
しりたがりさえ　しなければ，うんと　ゆかいにやれたのに！
　でも　もう，おそすぎます。

　つぎの　あさ，**じょーじ**の　なかよしの　きいろいぼうしの
おじさんが，しんぶんを　かって，おやっと　おもいました。
　「これは，**じょーじ**じゃないか！」
　おじさんは，しゃしんをみて　さけびました。

いそいで　きじをよむと，でんわ**ぼっくすへ**　かけつけて，
びょういんを　よびだしました。
　「わたしは，**じょーじの**　ともだちですが」と，おじさんは
いいました。
　「**じょーじ**が，はやく　よくなるように，よろしく
おねがいします。**じょーじ**を　さつえいじょへ　つれていって，
じゃんぐるにいたころの　えいがを　とりたいのです。
わたしが　つれてかえれるまで，
また　いたずらを
しないように，
おとなしくさせて
おいて　ください」

　やっと，**じょーじ**は，あるけるように　なりました。

　かんごふさんが，**じょーじ**に　いいました。

　「きょう，あなたの　なかよしの　おじさんが　むかえに
くるから，ここで　おとなしく　まっているのよ。なんにも
さわっちゃ　いけませんよ」

　ひとりに　なるが　はやいか，**じょーじ**は，きょときょと，
そこらじゅうを　みまわしました。

　「あの　おおきな　あおい　びんには，なにが　はいって
いるんだろう？」

のぞいて みたくて たまりません。

おや、へんな においが するぞ!

あたまが ふらふら する!

まるで とんでいる みたいだ!

わや ほしが ちらちら する!

それから、なにもかも まっくらに なりました。

　きいろいぼうしの　おじさんが　むかえにきたとき，
じょーじは，なんと，この　ありさまでした。
だきおこして，ゆすってみましたが，**じょーじ**は，めを
さましません。あんまり，ぐっすり　ねむっているので，

みんなで　**しゃわー**のところへ　つれていって，ざあっと
やると，**じょーじ**は　びっくりして，めをさましました。

　じょーじは，かんごふさんと　せんせいに，さよならを
いいました。
　それから，きいろいぼうしの　おじさんと　くるまにのって，
さつえいじょへ　いきました。

しゃちょうしつで, **じょーじは** えいがにでる
けいやくしょに **さいんしました。**
　いまや, **じょーじは** えいがはいゆうです！

　さつえいじょでは，いそがしくて，**じょーじ**は，あちこち
きょろきょろする　ひまも　ありませんでした。じぶんの
ために　つくってくれた　**じゃんぐる**が，すっかり　きに
いって，**じょーじ**は，だいかつやくを　しました。

いよいよ，えいがは　できあがりました。
　じょーじは，びょういんの　せんせいや，かんごふさんや，
きゅうきゅうしゃの　うんてんしゅさんや，しんぶんうりの
おじさんや，**まんしょん**の　おくさんや，
えれべーたーがかりの　おじさんや，**ぺんき**やさんたちや，
れすとらんの　こっくさんや，しんぶんきしゃや，
どうぶつえんの　おじさんたちなど，ともだちを
ひとりのこらず　しょうたいしました。

でんきが　きえて，えいがが　はじまると，しずかに
こえが　ながれだしました。
　「これは，さるの　**じょーじ**です。**じょーじ**は，**あふりかの
じゃんぐる**に　すんでいました。かわいい　こざるでしたが，
ただひとつ，こまったことが　ありました。それは，とても
しりたがりやだったことです……」

これで
おしまい